Tamta

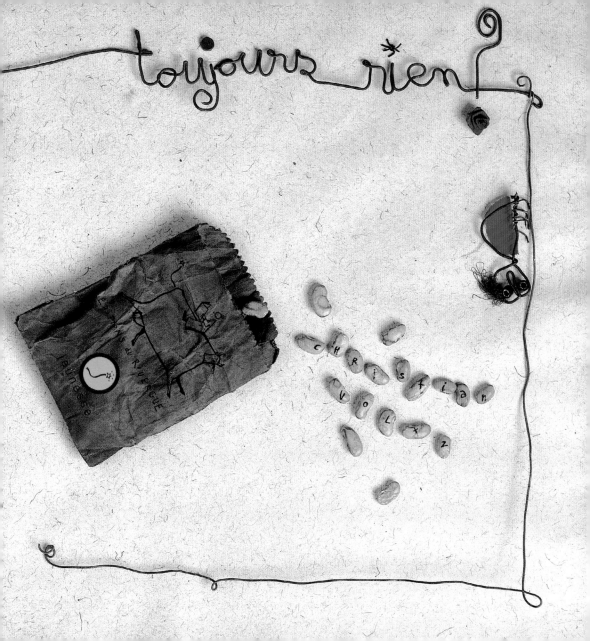

Toujours **rien** ?

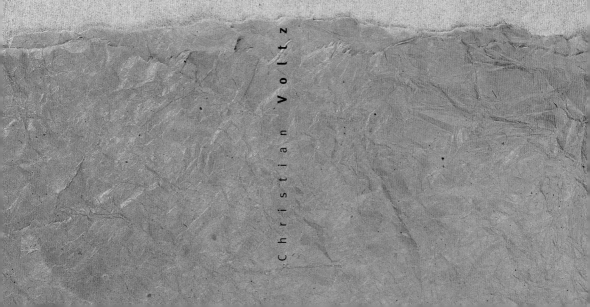

Christian Voltz

Ce matin,

de bonne heure,

Monsieur Louis a creusé un trou

énorme

dans la terre.

GRRRR

Dans ce trou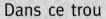

énorme,

Monsieur Louis a laissé tomber

une petite graine pleine de promesses.

(Parce que les petites graines adorent
se rouler dans la terre.)

Puis, Monsieur Louis a rebouché

le trou énorme

et a sauté dessus de toutes ses forces pour

tasser

tasser

 tasser la terre.

(Parce que les petites graines adorent
se rouler dans la terre bien tassée.)

Ensuite,

Monsieur Louis

a bien mouillé la terre

avec son arrosoir.

(Parce que les petites graines adorent
se rouler dans la terre tassée bien humide.)

Enfin, Monsieur Louis a dit :

"Je t'attends".

(Parce que les petites graines adorent
sentir qu'on les aime et qu'on les attend.)

Le lendemain,

Monsieur Louis est venu

voir si quelque chose avait poussé.

Il n'y avait **rien** à voir.

Évidemment,

c'était trop tôt !

Il faut être patient",

dit-il à l'oiseau.

Mais l'oiseau ne répondit **rien**...

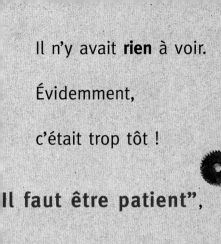

Le lendemain,

Monsieur Louis

est venu voir

si quelque chose avait poussé.

Il n'y avait **rien** à voir.

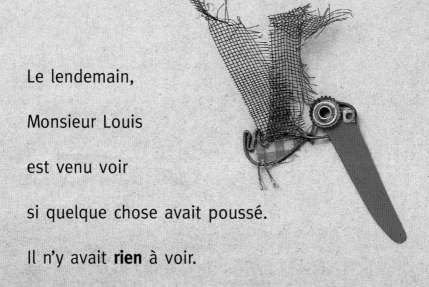

C'était encore trop tôt !

"Je reviendrai demain",

dit-il à l'oiseau.

Mais l'oiseau ne répondit **rien**...

Le lendemain,

Monsieur Louis était fidèle

à son rendez-vous.

Il n'y avait toujours **rien** à voir.

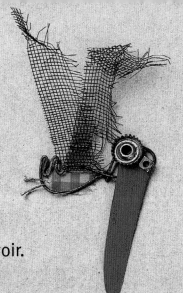

"C'es

ong à pousser",

dit-il à l'oiseau.

Mais l'oiseau ne répondit **rien**...

Le lendemain,

Monsieur Louis est venu

encore une fois.

Et il n'y avait toujours

aucune trace de la petite graine.

"J'er

ai assez",

dit-il un peu énervé à l'oiseau.

"Pas la peine
que je revienne
demain."

Mais l'oiseau ne répondit **rien**...

"Quelle fleur !", dit l'oiseau qui avait retrouvé sa langue. "Si je l'offre à ma copine,

"...elle m'embrassera sûrement !"

(Cet oiseau était amoureux,
ça c'est sûr !)

"Toujours rien ?",

a dit Monsieur Louis

quand il est revenu

le lendemain...

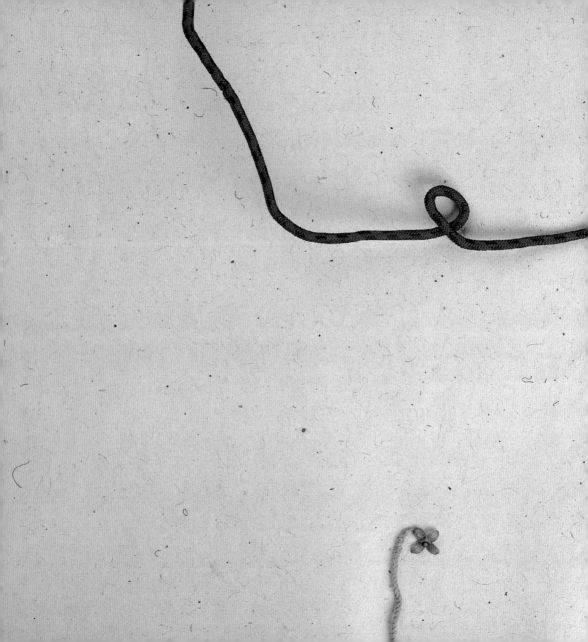

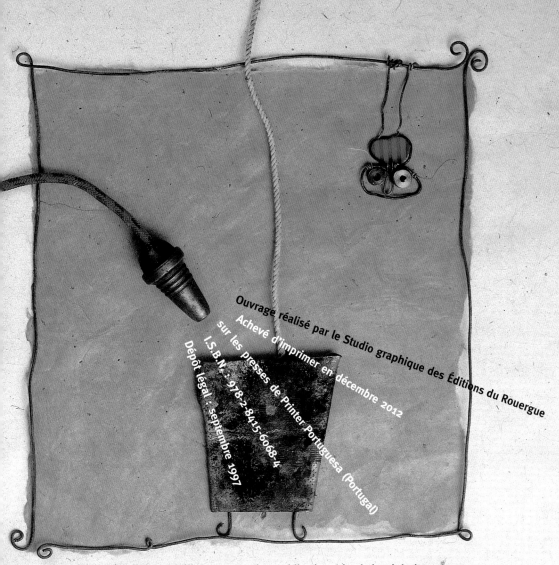

Ouvrage réalisé par le Studio graphique des Éditions du Rouergue

Achevé d'imprimer en décembre 2012

sur les presses de Printer Portuguesa (Portugal)

I.S.B.N. : 978-2-8415-6068-4

Dépôt légal : septembre 1997